이상한 사회적기업 이상한 사회적경제
4

이상한 사회적기업 이상한 사회적경제 4

발 행 | 2025년 2월 5일
저 자 | 사회적기업 불나방(김재훈)
펴낸이 | 한건희
펴낸곳 | 주식회사 부크크
출판사등록 | 2014.07.15.(제2014-16호)
주 소 | 서울특별시 금천구 가산디지털1로 119 SK트윈타워 A동 305호
전 화 | 1670-8316
이메일 | info@bookk.co.kr

ISBN | 979-11-419-8323-9

www.bookk.co.kr

이상한 사회적기업 이상한 사회적경제 4

사회적기업 불나방 | 김재훈

현실,
異常한 사회적기업
異常한 사회적경제
* 異常 : 이상 (정상적이지 않은 상태)

차 례

사회적기업 근로자가
대표자에게 쓴 편지

대표님께.

대표님, 김재훈입니다. 대표님의 얼굴을 보면 제대로 말하지 못할 것 같아 이렇게 글을 씁니다. 부디 양해 바랍니다.

제가 사회적기업 일자리 창출사업으로 우리 회사에 입사한 지도 다음 달이면 벌써 2년째군요. 시간 참 빠릅니다.

처음 이곳에서 일을 시작했을 때가 생각납니다.

어디에 취직했냐는 사람들의 물음에 회사 이름을 말하면 거기가 어디 있는 곳이냐, 무슨 일을 하는 곳이냐, 비전은 있는 곳이냐, 월급은 제때 나오냐, 사회적기업이 뭐냐 등 이어지는 질문으로 마음이 힘들었지만......

그래도 사회에 의미 있는 일, 사회에 좋은 일을 하는 회사에 다닌다는 점이 참 좋았습니다. 알아주는 사람들은 별로 없었지만 저와 동료들... 그리고 우리 회사가 알고 있으니까 괜찮았습니다.

입사한 후 한동안 명함은 커녕 사무 볼 때 필요한 용품들도 제때 지급되지 않았고, 사무 관련 일을 하는 것으로 들어왔지만 현장의 일도 할 수밖에 없었고......

연장 및 야근 수당도, 연봉 협상도 없었고 조직의 체계도 거의 없었고 심지어 월급이 제때 들어오지 않은 적도 있었지만...... 다 함께 열심히 한다면 조금씩 나아질 것이라고 생각하고 버텼습니다.

지금 돌아보니...... 참...... 힘든 시간이었네요.

대표님.

제가 맡은 일은 주로 서류를 쓰는 것이었지요. 사회적 기업 사업개발비 지원사업, 일자리 창출사업 관련 서류와 회사의 성장에 도움을 줄 다양한 지원사업의 서류들을 써왔지요.

돌아보니 2022년에는 액셀러레이팅 지원사업, 펀딩 지원사업, 지역 특화 제품 지원사업, 로컬크리에이터 지원사업, 인프라지원사업, 전문인력 지원사업, 경영 컨설팅 지원사업, 우수 사회적기업 지원사업 등 30개 정도의 지원사업 서류를 작성했고……

2023년에는 지역 특화 지원사업, 메이커스 지원사업, 유통지원센터 지원사업, 우수 제품 박람회 지원사업, 소상공인 새 바람 지원사업, 세일 페스타 지원사업, ESG 지원사업, 기술 특허 지원사업, 강한 소상공인 지원사업, 청년 대표 육성 지원사업 등 35개 정도의 지원사업 서류를 작성했었더라고요. 2024년은 벌써 9개를 썼고요.

굵직한 것들, 합격한 것들의 수가 이 정도이고…… 쓰다가 포기한 것들 떨어진 것들 소소한 것들까지 합하면 약 2년 간의 근무 동안 100개 이상의 지원사업 서류를 작성한 것 같습니다. 그중 30개 이상 합격해서 금전적인 지원을 받았습니다.

저 참, 열심히…… 그리고 잘한 것 같네요. 그렇죠?

그런데 대표님. 우리 회사가 이렇게 많은 지원을 받았는데…… 지원사업 서류를 쓸 때 매출 숫자는 커져만 갔는데…… 왜 우리는 아니 저는 나아진 것이 없죠?

저는 분명히 지원사업 관련 서류만 담당하기로 했는데…… 홍보 및 마케팅, 인사 노무, 유통 업무까지 제게

넘어오고...... 심지어 회사 일이 아닌 것까지 요청이 들어
오고...... 해야 하는 일들은 점점 늘어나고...... 다음 달 월
급은 제때 받을 수 있을까 하는 불안감은 점점 커져만
가고......

왜 이런 것이죠?

그리고 일자리 창출사업이 곧 종료됩니다. 알고 계시지
요? 저는 여기서 계속 일을 할 수 있는 건가요? 일을 하
면 월급은 받을 수 있는 건가요?

우리가 너무나 작은 회사이다 보니...... 저희들은 이미
어느 정도는 알고 있습니다. 일자리 창출사업의 인건비
지원이 끊기면 당장 저희에게 줄 월급이 없다는 것을요.

어떻게 하실 생각이신가요? 대책이 있으신가요?

대표님의 솔직한 생각과 마음도 듣고 싶지만...... 무엇
보다 앞으로 어떻게 할 것인지에 대한 계획이 듣고 싶습
니다. 대표님께서 저희를, 회사를 어떻게 하실 것인지 말
씀해 주시면 우리도 덜 불안할 것입니다.

대표님께서 계획을 말씀해 주셔야 저희가 앞날에 대한
대비를 할 수 있으니...... 그러니 앞으로의 계획을 꼭 말
씀해 주시길 바랍니다.

대표님.

이런 이야기를 드려서 정말 죄송합니다만...... 대표님께서 사업을 제쳐두고 외부 교육 및 모임에 치중하는 모습과 회사의 소셜 미션이 아닌 다른 목적으로 사업을 운영하는 것을 보고 실망한 적도 있지만......

저는 대표님을 나쁘게 생각하지는 않습니다. 외부 교육 및 모임은 영업 활동이며 다른 목적으로 사업을 운영한 것도 회사를 위한 일이라고 볼 수 있으니까요.

다만 우리 회사가 지원사업을 많이 따냈을 때, 그때 더 효과적으로 그것을 잘 활용했어야 했는데 하는 아쉬움이 참 큽니다.

계획했던 대로 제대로만 활용했다면 우리 회사의 모습이 지금과 많이 달라졌지 않았을까요? 지금과 달리 지원이 끊겨도 큰 걱정 없이 자립할 수 있지 않았을까요?

대표님은 어떻게 생각하시는지요.

후...... 이제 와서 지난 일들을 후회해서 무얼 하겠습니까. 그때는 그것이 우리의 최선이었을 수도 있고...... 대표님과 우리 모두가 노력했기 때문에 여기까지라도 올 수 있지 않았겠습니까. 이렇게 생각하면 다 괜찮습니다. 이미

다 지나간 일들이니 다 괜찮습니다.

앞에서도 말씀드렸지만...... 진짜 다 괜찮으니까...... 마음 편히 대표님의 솔직한 생각과 마음, 계획을 꼭 저희들에게 말씀해 주시길 바랍니다. 진심으로 부탁드립니다. 그래야 조금이라도 저희가 마음 편히 일 할 수 있을 것 같습니다.

지금 너무나 불안하고 힘이 듭니다. 그러니 제발 저희들에게 미래에 대한 이야기를 꼭 해주십시오. 다시 한번 간곡히 부탁드립니다.

제가 만약 이곳을 떠나게 되더라도 대표님과 우리 회사가 잘 되시기를 정말, 진심으로 바랍니다.

그럼 대표님의 답장을 기다리고 있겠습니다.

근로자 김재훈 배상.

이상한 사회적기업 이상한 사회적경제 4

부자는 망해도 삼 년은 간다는데
사회적경제는 몇 년 갈까

"반갑습니다, 선생님. 사회적기업에 관심이 있으시다고요?"

"예, 그렇습니다. 사회적기업으로 지원도 좀 받아가며 의미 있는 일을 해 보고 싶어서요."

"음...... 그렇군요. 처음부터 이런 말씀을 드려서 죄송하지만 이제 예비사회적기업 지정, 사회적기업 인증을 받아도 인건비 지원, 사업개발비 지원 없습니다. 2024년 사회적경제 관련 예산이 확 줄어들었기 때문입니다. 아시죠?"

"듣기는 했습니다만 지원이 없어진 것이 사실이군요."

"예...... 사회적기업가 육성사업도 없어졌고...... 참 안타깝습니다. 갑자기 인건비 지원이 없어지면서 직원들 내보내는 회사들도 많고...... 사회적기업가 육성사업 등 관련 사업들이 사라지면서 중간지원조직에서 일하는 사람들도 일자리를 많이 잃었지요."

"그렇군요...... 그것 참 안타까운 일이네요."

"다른 지역에서는 사회적경제 예산 원상복구를 위한 공동대책위원회도 꾸리고 궐기대회도 하던데...... 여긴 조용합니다. 아무 일도 없는 것처럼 눈에 보이는 어떠한 행동도 없더라고요. 별 기대도 하지 않았지만...... 해도 해도 너무한 것 아닌가 싶어요. 지금까지의 지원으로 먼저 자리를 잡은 사람들이나 조직들이...... 어려움에 처한 이들을 돕는 모습도 전혀 없고...... 저는 우리 지역만큼은 사회적경제가 망했다고 봐......"

"......"

"아니 이대로라면 망할 수도 있다고 봅니다."

"예......"

"아, 이제 사회적기업에 대한 꿈을 갖고 해 보시려는 분에게 제가 너무 좋지 않은 이야기만 했지요. 아이고 너무 죄송합니다, 선생님. 제가 말실수를 했습니다. 너무 안타까운 마음에 그만...... 죄송합니다."

"괜찮습니다. 현실을 알게 되어서 좋습니다."

"그럼, 설명을 좀 드리겠습니다. 예비사회적기업 지정,

사회적기업 인증 신청은 올해도 받고 있습니다. 여기 리플릿을 보시면... 인지정 요건 및 신청 절차가 나와 있고요, 기존보다 혜택은 줄었지만 지정과 인증을 받은 기업들에 대해서 판로 지원 등 간접 지원을 해준다고 나와있습니다. 법인세, 소득세, 취득세 등 세제 지원도 있을 것이고 뭐, 그렇습니다."

"아, 예."

"조금 더 구체적인 것들은 여기 중간지원조직에 연락을 해서 도움을 받으실 수 있습니다. 아마 저보다는 그래도 기관에서 도움을 드리는 것이 좋을 것 같네요. 관련 정보도 확실히 빠르게 접할 것이고, 무엇보다 더 정확할 겁니다. 어쩌다 보니 이런 애매한 이야기로 끝을 맺었네요. 죄송합니다. 혹시 더 궁금하신 것 있으세요?"

"더 궁금한 것은 없습니다. 충분합니다. 시간 내주셔서 감사합니다. 그런데......"

"아, 편하게 말씀하시지요."

"그...... 사회적경제 분위기가 굉장히 좋지 않군요. 저는 그렇게 보이지 않았는데...... 아, 나머지는 제가 알아보겠습니다. 추후에 궁금한 것이 생기면 연락드려도 될까요?"

"네, 물론이지요. 궁금한 것이 있으시면 언제든지 편하게 연락 주십시오. 다 좋습니다."

"예, 알겠습니다. 저는 정리를 좀 하고 일어나려고요. 먼저 가셔도 됩니다. 오늘 정말 감사했습니다."

"좋지 않은 이야기를 많이 드린 것 같아서 죄송합니다. 그럼 먼저 가보겠습니다."

'사회적경제에 대한 지원이 줄었다는 건 뉴스로 봤는데...... 우리 지역은 상황이 더 좋지 않은 건가.

아닌데, 내가 얼마 전에 지인 따라 사회적경제 행사 갔을 때는 분위기 좋았는데. 비싼 호텔에서 진행하고. 1인당 한 3~4만 원은 될 것 같은 밥도 주고 집에 돌아갈 때 선물도 큰 종이 가방에 한 개씩 챙겨주고 돈 많은 것 같던데. 뭐가 좋지 않다는 거지. 거기 있던 사람들은 표정도 좋고, 대표님~ 센터장님~ 오랜만입니다~ 하하 호호~ 하면서 성과가 잘 나왔다고 올해도 걱정 없다면서 서로 격려하고 악수하고 사진 찍을 때 손하트에 파이팅에 엄청 분위기 좋았는데.

저 사람만 이렇게 생각하는 것 같은데. 본인은 일자리를 잃었고 나는 뭐 자본도 좀 있고 해 보려고 하니까 배 아파서 그런가. 쯧쯧...... 참~ 안타까운 사람이야. 본인 상황이 좋지 않다고 다 그런 건 아닌데…… 망하긴 뭘 망해, 딱 보니까 본인만 망했네.

잘 나가는 사람들은 여전히 잘 나간다고. 부자는 망해도 삼 년 먹을 것이 있다는 말도 모르나. 내가 그때 가보니까 여기는 삼 년 아니 십 년은 더 가겠구먼, 망하긴 뭘 망해 진짜.

그리고 망하면 안 돼. 나도 덕 좀 봐야지. 다음엔 좀 힘 있는 사람, 높은 자리에 있는 사람을 만나봐야겠다. 그래야 도움이 되겠어.

자, 마음을 다 잡자! 부자는 망해도 삼 년 먹을 것이 있다! 옛말 틀린 거 하나 없다! 발 빠르게 움직이자! 부지런히 움직여서 나도 좀 먹자고!'

이상한 사회적기업 이상한 사회적경제 4

넌 절대 사회적기업 하지 마라

이상한 사회적기업 이상한 사회적경제 4

"저는 여성들에게 시간선택제 일자리를 제공하여 일과 가정을 양립할 수 있도록 하는 사회적기업을 운영하는 사회적기업가입니다!"

"저는 사회적경제 활성화와 건강한 공동체 문화 확산을 목적으로 다양한 교육 프로그램을 지역 청년들과 함께 기획하고 진행하는 사회적기업을 운영하는 사회적기업가입니다!"

"저는 지역 자원을 활용한 제품을 개발하고 판매하여 지역 경제를 활성화하고 자립준비청년을 지원하는 사회적기업을 운영하는 사회적기업가입니다!"

생각하고 싶지 않은 얼굴들과 그들의 목소리를 오랜만에 떠올리게 한 질문들이었다.

"네가 사회적기업 대표야. 서류 조금만 만지면, 그러니까 숫자를 조금 조작하거나 내용을 조금 꾸며내면 직원들 월급도 줄 수 있고 사무실 월세도 낼 수 있다고 치자. 그럼 넌 어떻게 할 거야?"

"음...... 이건 너무 극단적인 상황 같은데."

"아! 그러니까 예를 들자면 말이야. 생각해 봐. 어떻게 할 거야? 조작할 거야? 하지 않을 거야?"

"음...... 나는 하지 않겠어. 서류를 조작하는 건 법을 어기는 행위잖아. 법을 지키는 건 기본 아니야?"

"조작했는지는 외부에서는 알 수 없어. 내부적으로도 믿을 수 있는 몇 명만 알고. 그래도 하지 않을 거야? 이거 조금만 손대면 직원들 월급 줄 수 있는데? 이거 안 하면 직원들 당장 다음 달 월급도 못 주는데? 사무실 다음 달에 빼야 되는데? 그래도 안 할 거야?"

"응. 그래도 안 할 거야. 회사가 망하더라도 그런 행동은 하지 않을 거야."

"하...... 그래, 그렇구나. 그럼 이런 행동을 하는 사회적기업가는 네 기준에는 사회적기업가야 아니야? 직원들 월급 주려고 그런 건데? 회사 유지하려고 그런 건데?"

"직원들 월급…… 회사 유지…… 그래, 그것 정말 중요하지. 하지만만 내 기준에는 네가 말한 행동을 한 사람은 사회적기업가가 아니야. 법을 어겼잖아. 내 기준에 법을 어긴 사람은 사회적기업가가 아니야."

"어우, 진짜!"

"왜……?"

"으아…… 진짜 참 어렵다. 네가 생각하는 사회적기업가, 참 어렵다 어려워!"

"아니, 법을 지키는 게 뭐가 어려워? 뭘 더 잘하라는 것이 아니라 법을 어기지 말라는 것인데. 이게 그렇게 어려워? 법을 어기지 않고 지키는 건 기본이잖아. 기본을 지키는 것이 어려워? 많이 어려운 일이야?"

"허! 그래! 그럼, 네가 생각하는 네 기준에 부합하는 사회적기업가를 본 적이 있어?"

"……"

"어때? 있어? 없어? 있어? 없어? 없지?"

"아직 없지. 그렇지만 어딘가에는 있을 거야. 분명 어던가에 있을 거야. 그리고 책에서는 봤어. 내가 직접 들여다보면 다를 수도, 아닐 수도 있겠지만. 책에서 본 그 사람은 사회적기업가였어."

"아~ 책~! 하하! 책에서 봤다! 과연 세상에 네가 생각하는 사회적기업가가 있을까? 나는 네가 유니콘을 쫓고 있다고 생각해. 세상에 존재하지 않는 유니콘말이야."

"유니콘...... 그래, 그럴 수도 있지...... 내가 찾는 사회적기업가는 유니콘일 수 있지. 그래도 분명 있을 거야. 어딘가엔. 난 믿어."

"그래. 어딘가엔 있을 수도 있겠지. 주변에서 아직 못 봤지만 없다고는 할 수 없지. 그런데 넌 사회적기업가 하지 마. 나는 네가 사회적기업가 안 했으면 좋겠어."

"왜? 사회적기업가는 내 꿈인데. 왜 하지 말라는 거야?"

"왜긴 왜야. 너처럼 그렇게 해서는 너 못 먹고살 것 같아. 너처럼 그렇게 하다가는 굶어 죽을 것 같아. 망할 것 같다고. 그리고 너만 망하는 게 아니라 네 주변 사람들도 다 망할 것 같아. 그렇게 해서 회사 운영할 수 있겠니? 응?"

"아니, 그건 너무…… 흠, 아니야. 나도 그럴 것 같아."

'네 이야기를 듣다 보니 몇몇 사회적기업가가 생각났어. 다들 시작은 이랬을 거야. 처음엔 아주 조금 손대고. 어, 아무도 모르네? 다음에 조금 더 손대고. 어, 이래도 모르네. 그럼 조금 더…… 조금만 더…… 그러다 바늘 도둑이 소도둑이 된 거지. 모든 소도둑에게는 처음 순간, 처음으로 바늘을 훔쳤는데 아무에게도 걸리지 않았던 순간, 바로 그 순간이 있을 거야. 모든 소도둑에게는 바늘 도둑이던 시절이 있을 거야. 그렇지? 만약에 사회적기업가에게도 그런 순간이 있다면, 바늘을 훔쳤는데 아무도 몰랐던 순간이 있다면 이 사회적기업가는 어떻게 될까? 이 사회적기업가는 바늘을 다시는 훔치지 않을까? 바늘만 계속 훔칠까? 결국 소도 훔치지 않을까? 이건 어떻게 생각해?'

그는 이런 이야기와 함께 몇 가지 질문을 하고 싶었지만 하지 않았다. 한다고 해서 달라질 것도 없고 해야 할 이유도 없었기 때문이다. 그리고 이런 이야기들은 그에게 크게 중요하지도 않았다.

그에게 중요한 것은 이거였다.

'나는 내가 생각하는, 나의 기준에 부합하는, 사회적기업가가 될 수 있을까?'

그가 그런 사회적기업가가 될 수 있을지 없을지는 알 수 없지만 분명한 것은 하나 있다.

그가 계속 이상을 좇을 것이라는 사실이다. 그가 유니콘을 발견하거나 직접 유니콘이 될 때까지 말이다.

그것을 어떻게 아느냐고? 그의 꿈은 15년째 변함없이 '멋진 사회적기업가'이기 때문이다.

"야, 너 무슨 생각을 그렇게 하고 있어?"

"응? 아 아니야. 하하, 아무것도 아니야."

'어이구...... 저거 또 헛된 꿈만 꾸고 있네. 진짜... 어휴......'

　　이상한 사회적기업 이상한 사회적경제 4

폐업해도 이룰 수 있는
사회적기업이라는 꿈

"야, 사업은 잘 돼가? 이번엔 사회적기업 되는 거지?"

"아…… 음…… 그게."

"왜? 뭐 문제 있어? 시작한 지 얼마 안 됐잖아. 너 작년 11월에 사업자 내지 않았어?"

"응, 맞아. 작년 11월에 냈었지. 근데 폐업하려고."

"뭐? 벌써? 너 작년에 지원금 받고 창업하지 않았어?"

"지원금 받았지. 꼴랑 500만 원. 그걸 가지고 뭘 하냐. 뭐 쓸 것도 없더라."

"그래도…… 돈도 받았는데…… 이렇게 그만둬도 되는 거야? 1년 유지라든가, 이런 조항 없어?"

"내가 벌써 다 알아봤지. 돈을 적게 줘서 그런지, 사업체 유지 조건 같은 건 없더라. 거기도 아는 거지. 이 돈으로는 사업을 할 수가 없다는 걸. 이미 정산도 다 끝났고. 계속해도 이걸로는 돈도 못 벌 것 같고. 그냥 폐업하려고."

"뭐…… 네 선택이니까 존중은 한다만…… 폐업하고 뭐 하려고? 사회적기업가 되는 게 네 꿈 아니었어?"

"맞지, 내 꿈. 사회적기업가! 꿈은 절대로 포기할 수 없지! 꿈을 포기해서는 안 되지! 그래서 폐업하고 또 도전하려고! 창업지원사업! 사회적경제 분야 예산 줄어서 굵직한 지원사업들이 몇 개 사라지긴 했지만, 찾아보니까 지자체에서 하는 것들이 또 많더라고. 이번에는 그거 해 보려고."

"근데 그냥 지금 있는 사업자로 계속하면 되지, 왜 폐업하고 다시 하는 거야?"

"네가 지원사업을 해본 적이 없어서 잘 모르는구나. 이런 지원사업은 사업자가 없는 사람들한테 주는 혜택이 더 많아. 처음 사업 시작하는 사람들을 '예비창업자'라고 하는데 이들을 대상으로 하는 지원사업이 '초기창업자'나 '기존 창업자' 대상 지원사업 수보다 훨씬 많아. 그리고 많이 뽑아서 경쟁률도 낮고. 나는 해본 경험이 있으니까 초짜들보다 훨씬 서류도 잘 쓰고…… 아무래도 걔들보다 내가 될 가능성이 높지. 그러니까 폐업하고 예비창업자로 다시 돌아가려고."

"아…… 그렇구나. 폐업한 사람들이 지원하면 페널티나 이런 것 없어? 너무 불공평한 것 같……"

"야! 세상은 원래 불공평해. 그리고 심지어 '재도전 패키지; 이런 것도 있다고. 폐업한 경험이 있는 사람들만 지원할 수 있는 사업. 신기하지? 물론 지원사업 공고문 보면 '공고일 기준으로 폐업한 기간이 1년이 지나지 않은 사람은 지원할 수 없다.', '공고일 이후 폐업한 사람은 지원할 수 없다.' 이런 내용이 있기도 하지만 다 방법이 있어. 가까운 사람들이랑 팀으로 지원해서 합격한 후 대표자를 나로 바꾸는 방법도 있고. 뭐, 아무튼 다 방법이 있어. 그래서 난 폐업하고 예비창업자로 돌아가서 다시 지원사업에 도전할 거야. 이번에는 돈 많이 주는 지원사업으로 사회적기업 만들어 봐야지. 지난번 지원금은 너무 작았어. 500만 원이 뭐야. 그걸로 뭘 하라고."

"너 그때 500만 원 주는 지원사업 합격했다고 엄청 좋아했잖아. 이제 꿈을 이룰 수 있게 되었다고 하면서 이제부터 진짜 열심히 할 거라고 그랬으면서 이제 와서 딴소리야."

"아! 그만. 그땐 그랬지. 해봤는데 안 되는 걸 어떡하냐. 나도 나름 최선을 다했다고. 그리고 법적으로도 문제없으니까 아무 상관없어. 그리고 내가 낸 세금, 우리 가족이 낸 세금으로 지원금 나오는 건데, 내가 최대한 그 돈 받아서 활용해야지. 안 그래?"

"근데 그거 먹"

"튀! 나도 알아, 나 먹튀인 거. 먹고 튈 수도 있지. 뭐, 내가 불법을 저질렀어? 아니잖아. 그리고 먹어서 소화했고. 양분, 그래 결과물도 만들었어. 성과는 미비하지만 경험도 쌓았고! 그럼 된 거지. 뭐 더 있나? 이번엔 제대로 보여주겠어!"

"아...... 그래. 네 말이 맞다. (얘 또 이러네. 이게 도대체 몇 번째인지. 진짜 병이야, 병!)"

"너무 그러지 마라. 나도 열심히 했다. 그리고 네가 몰라서 그렇지, 이 바닥에 나보다 더 심한 사람들 많아! 난 양반이야. 아, 그리고 올해 지나면 만 39세 넘어서 이제 청년 대상 지원사업은 도전할 수 없으니까 이번에 나 꼭 큰 거 돼야 돼. 이번에는 진짜 열심히 잘해볼 거야. 이번엔 진짜야, 진짜. 그러니까 응원해 주라, 친구야. 나 힘 좀 줘라! 아니면 우리 같이 해볼래?"

사회적기업이든 뭐든
이제 사업계획서는 돈으로 쓰는 거야

"후...... 여기저기 공고가 뜨고 있네. 바야흐로 지원사업의 계절이 돌아왔구나...... 쓸까 말까...... 돈은 필요한데 지원사업에 좌지우지 끌려가면서 사업을 하고 싶지는 않고. 어떡하지...... 고민이군, 고민이야..."

"무슨 생각을 그렇게 골똘히 하고 있어?"

"아, 아무것도 아니에요. 대표님."

"대표님, 초창패 공고 떴던데. 봤어?"

"예...... 보고 있는데요. 써야 할지, 말아야 할지."

"왜? 왜 고민해? 당연히 써야지. 돈이 얼만데. 이제 사회적기업 인건비, 사업개발비 지원도 없는데. 당연히 써서 돈 끌어와야지. 그래야 사업을 하지. 안 그래?"

"그건 그런데...... 제가 잘 쓸 수 있을지... 괜히 시간 낭

비만 하는 건 아닌지...... 또 되고 나면 지원사업에 끌려
다니는 것도 싫고, 그래서......"

"아~ 여전히 답답한 소리 하네. 안 끌려다니면 되잖
아. 우리가 초보도 아닌데 아직도 이걸 문제라고 생각하
고 있어~ 답답하게. 이 문제는 제쳐두고! 대표님, 한
200만 원 정도 여윳돈 있어? 200만 원 정도는 있을 것
아니야. 응?"

"예...... 그런데 200만 원은 왜?"

"그럼, 오케이. 걱정 없어. 우선 200만 원만 있으면 돼.
대표님, 초창패 합격할 수 있어."

"예? 어떻게요?"

"아~ 이 사람 참~ 요즘 누가 사업계획서 쓰는 것 때
문에 전전긍긍하고 있나. 사업계획서는 돈으로 쓰는 거야.
전문가한테 우선 200만 원 주면 사업계획서도 써주고 관
련 서류도 다 써줘. 그리고 합격하면 300만 원? 뭐 돈
좀 더 주면 돼. 요즘은 많이들 그렇게 하는데. 몰랐어?"

"저도 듣기는 했는데...... 이것 좀 보세요. '창업지원사
업에 신청하는 창업기업은 관련 법령에 따라 다음 사항
에 유의하여야 합니다. 사업계획서 등을 타인이 대신 작

성하여 제출하는 경우, 작성자(대필자)와 신청자(대표자,
창업기업) 등 관련자 전원이 사기 또는 업무방해죄 등으
로 처벌될 수 있습니다.' 유의사항에 이렇게 쓰여 있는
데......"

"하하. 사람 참 순진해. 대표님, 주변에서 저런 이유로
처벌받은 사람 봤어? 못 봤어?"

"......"

"봤어? 못 봤어?"

"못 봤어요......"

"그래, 못 봤지. 누구 처벌받았다는 이야기 들어 본 적
있어? 없어?"

"그게......"

"있어? 없어? 없잖아."

"예......"

"그래! 절대 안 걸려! 내가 썼는지 다른 사람이 썼는
지 저기서 어떻게 알아! 아무도 몰라! 이때까지 저거 걸

렸다는 사람 한 번도 본 적 없고, 누가 걸려서 처벌받았다는 이야기도 한 번도 들은 적 없어. 행여 의심받아도 컨설팅이나 멘토링 받았다고 하면 돼. 오래전부터 다들 그렇게 해왔는 걸. 기관에서도 컨설팅, 멘토링 받으라고 하잖아, 지원금도 그렇게 쓰라고 하고. 그래 안 그래? 그래 안 그래? 그렇지?"

"예...... 그렇긴 하죠......"

"그래! 이제는 돈으로 하는 게 맞아. 사업계획서 대필하는데 드는 500만 원이 큰 것 같지? 합격하면 최소 5,000만 원인데? 10배는 남는 장사야. 그리고 이참에 전문가들하고 안면도 트고 좋잖아. 그리고 합격하면 줄 300만 원은 지원금 예산에 컨설팅 잡아서 전문가한테 주면 되니까 걱정할 것 하나도 없어. 우리가 이렇게 해야 저런 사람들도 먹고살고 나중에 우리도 잘 돼서 사업계획서 컨설팅, 멘토링 하면서 돈 벌고 하는 거지."

"그래도 우리는 사회적기업인데......"

"아, 진짜! 무슨 사회적기업이 밥 먹여줘? 사회적으로 좋은 일 하면 뭐 사업이 더 잘 돼? 뭐 우리 것 사준데? 뭐 우리 어디 좋은 사업에 뽑아 준데? 지원 뭐 해준데? 아무것도 없잖아, 이제. 대표님아~"

"……"

"아이고, 대표님아. 우리 이럴 때 아니야. 자기도 잘 알잖아. 사회적경제 쪽 지원금 다 끊겼지, 뭐 지자체에 뭐 없지. 이러다 우리 진짜 큰일 난다. 사업 접어야 해."

"그…… 그래도……"

"아, 알았어. 오늘은 여기까지 이야기하자고. 생각 바뀌면 연락해. 내가 잘 아는 사람, 전문가 소개 해줄게. 이 분야에서 오래 활동했던 분인데 자기도 들으면 아는 사람이야. 이번에 업체를 차리셨어. 여기 맡기면 100% 문제 생길 일 없고 99.9% 합격이야! 내가 보증 선다! 대표님이니까 할인도 좀 해달라고 할게. 지금 사업계획서 쓰는 시즌이라 자리 얼마 안 남았다. 빨리 연락 줘. 여기 금방 차. 늦으면 하고 싶어도 못 해. 무슨 말인 줄 알았지?"

"예…… 생각해 보겠습니다."

"자리 얼마 안 남았으니 빨리 연락해 줘, 알았지? 대표님 안쓰러워서 그래. 내 마음 알지?"

"예. 알겠습니다."

눈먼 돈을 좇는
사회적기업가들이 향한 곳

이상한 사회적기업 이상한 사회적경제 4

사회적기업에 다니고 있는 지인과 이야기를 하는 도중 지인의 핸드폰이 울렸다.

　지인의 얼굴이 어두워졌다.

　"왜? 누군데?"

　"대표. 아, 또 무슨 이상한 이야기 하려고."

　"급한 일일 수도 있잖아. 받아봐."

　"급한 일일 것 같은데 분명 또 누구한테 뭔 이야기 듣고 이상한 것 시키려고 전화한 걸 거야. 아, 짜증 나. 여기서 받아도 돼?"

　"응, 여기서 받아. 난 괜찮아."

　그들의 대화를 통해 나는 알게 되었다.

'눈먼 돈들이 어디로 갔나 싶었는데 다 저기 있었구먼. 흐흐.'

"여보세요."

"국장님, 아무래도 그 기계를 꼭 사야겠어요. 그때 말한 그 지원사업 서류 좀 써주세요."

"아...... 그거요...... 그 지원사업 서류 저도 확인했는데요, 기계 구입은 집행 불가던데요. 알고 계시나요?"

"그 부분, 저도 봤어요. 제가 주변 대표님들한테 들었는데 임차로 서류 넣고 업자한테 이야기해서 그 돈으로 구입하는 걸로 하면 된다고 하더라고요. 다 그렇게 했데요. 알잖아요. 그때처럼 또 그렇게 하면 됩니다. 업자는 내가 구할게요. 서류만 써주세요."

"그때처럼...... 아...... 그런데 대표님, 이 사업은 지역 시민 5명 이상을 모아야 하는데...... 우리가 사람이 있나요? 더군다나 대표님은 지원을 할 수 없는 상황이잖아요."

"그건 내가 이미 다 준비했습니다. 지인들한테 이야기해 놨으니까 그 부분은 신경 쓸 것 없어. 다 해준다고 했어. 뭐냐, 개인정보 수집이용 제공동의서? 그건 내가 받아줄 테니까 사업계획서를 빨리 써줘요. 시간이 없어요."

"아...... 그렇군요...... 그런데요, 신청 관련 안내문 보니까 지원사업 대표로 할 사람이 사업이 진행되는 과정 속에서 사업자 등록이나 단체 등록을 해야 하는 것 같은데...... 하신다는 그분들 중에서 대표로 사업자 등록이나 단체 등록을 할 사람도 정해졌나요? 그분들 이런 사실도 알고 있나요?"

"아, 그런 것도 있었어요? 몰랐어요. 그거야 이야기하면 되지 뭐. 걱정하지 마. 다 해줄 거야. 그리고 우선 되고 나서 나중에 계획 변경하면 되잖아. 대표자 변경도 할 수 있고. 아니면 나중에 피치 못 할 사정이 생겼다고 하고 사업자 내는 건 포기하지요. 사정이 어렵다는데 뭐 어떻게 할 거야. 우리도 하고 싶은데 어쩔 수 없는 사정으로 못하겠다는데. 이 이야기는 이쯤 하고 기계를 사는 것이 중요하니까, 사업계획서 빨리 씁시다."

"아...... 예...... 그런데 어떤 사업을...... 혹시 생각하고 계신 건 있으세요...?"

"국장님, 아이디어 없어요? 하하. 그 기계를 사야 하니까 그 기계를 활용할 수 있는 방법을 풀어쓰면 되지 않겠어요? 국장님 잘 쓰잖아. 이때까지 쓴 것처럼 그런 식으로 써줘요. 그 기계가 꼭 필요하니까 그 기계를 임차하는 것으로, 문제 생기지 않게. 이 부분 신경 써서 사업계획서를 써주세요. 아시겠죠?"

"음...... 저도 아이디어가 없는데요...... 그 공고문에 사업대상 제한 및 제외 내용을 보면...... 기계를 임차한다거나 재료비, 운영비 보전을 위한 단순 목적 지원은 지양해 달라고 나와 있어서요...... 우리가 가능할까요...... 시간도 촉박하고 사업 취지에도 맞지 않는 것 같고...... 죄송하지만...... 솔직히 저는 자신이 없습니다."

"에이, 국장님답지 않게 왜 그래~ 자신 없어도 괜찮아요. 내가 알아보니까 경쟁률도 높지도 않아. 작년에는 미달 난 것 같던데. 올해도 크게 다르지 않을 것 같아. 농촌에서 이런 거 쓸 수 있는 사람이 얼마나 있겠어? 안 그래? 편하게 써주세요. 작년에 된 사람들 내용 보니까 뭐 별 것도 없더구먼. 뻥뻥 빈칸 낸 사람들도 합격했다니까! 여기는 모집이 되지 않아서 안달 난 곳이야. 그러니까 너무 부담 갖지 말고 그냥 써주세요. 알았죠? 주말 지나고 다음 주 초까지 써서 보내주세요. 한 번 같이 의논하고 제출합시다. 알겠죠?"

"......"

"대충 써도 된다니까! 내는 사람도 별로 없어. 내기만 하면 그냥 됩니다. 그러니까 부담 갖지 말고 써요. 나 전화 들어온다! 이만 끊습니다. 다 쓰면 연락 주세요, 국장님."

"괜찮아?"

"아니, 안 괜찮아. 아, 진짜 짜증 나. 매번 이런 식이야. 아이디어도 없으면서 뭘 계속 써달라고 하고, 사업계획서랑 예산대로 진행도 하지 않고. 돈은 어디다 썼는지 결과물은 없고 최종 결과 보고서 쓸 때 나만 발 동동 구르고...... 아, 진짜!"

"진짜 힘들겠다...... 그런데 너 다니고 있는 회사 사회적기업 아니야? 농촌 관련 사업도 해?"

"사회적기업 맞지. 맞는데 우리는 돈 주는 지원사업이면 다 해. 대표가 어디서 듣고 와서 다 해달라고 해. 사회적기업 쪽에 이제 돈이 안 풀리니까 농촌 관련 사업을 많이 하려고 해. 이쪽에 돈이 풀리고 있거든. 그리고 경쟁률도 낮고. 그래서 계속 뭘 듣고 와서 무작정 해달라고 해. 아, 짜증."

"그래, 진짜 짜증 나겠다. 네 덕분에 알게 되었네. 사회적기업에서 도시재생 이제는 농촌, 이쪽으로 돈이 풀리는구나."

"응, 농촌에 돈이 많지. 농촌에 돈 풀린 지 좀 됐어. 여기도 언제 끊길지 몰라. 아...... 우리 회사는 지원금만 좇아 다녀. 이러다가 이제 또 어디로 갈지...... 지원금 다 사라지면 금방 망할 거야."

"그래도 몇 년은 더 가겠지. 힘내라. 그리고 사업계획서 대충 써서 보내. 대표도 아이디어 없고 어차피 경쟁률도 낮다는데. 너무 애쓰지 마. 되면 좋고 뭐 안돼도 어쩔수 없지. 네 회사도 아니잖아."

"그래도 대표가 써달라는데 그럴듯하게 써서 줘야지. 나는 돈 받는 직원이잖아. 아, 얼른 가서 뭐라도 써야겠다. 우리 다음에 보자. 가봐야겠어."

"그래, 잘 가. 다음에 또 보자! 수고해!"

지인과 헤어지고 집으로 돌아오는 길에 나는 생각했다.

'집에 가자마자 컴퓨터를 켜고... 내 컨설팅 분야에 농촌大활력플러스사업 및 농촌 관련 지원사업도 써야겠군. 어쩐지 사회적기업, 도시재생 이제 이쪽으로는 일이 들어오지 않더니...... 농촌으로 돈이 풀리고 있었군. 나도 이쪽으로 전념해 봐야겠어. 음, 이쪽 분야는 생소한데. 또 뭐라고 말을 꾸며 내냐. 아, 먹고살기 힘들다! 그래도 눈먼돈 다 사라지기 전에 나도 먹어야지. 열심히 써보자고!'

　　이상한 사회적기업 이상한 사회적경제 4

어느 이상한 사회적기업가의 봄

"부르셨어요? 이게 뭡니까? 대표님?"

"왔어. 뭐긴 뭐야, 우리가 앞으로 같이 사는 방법! 앞으로 더 잘 살 수 있는 방법이지! 공생! 상생! 우리에게도 봄이 온다!"

"예? 무슨 말씀인지……"

"자, 잘 보고 잘 들어. 우리의 봄이 어떻게 오는지. 쉽게 이야기해 줄게. 1,000원을 받아서 100원 결과물을 만들고 아무 문제 없이 900원을 어떻게 먹을 수 있는지, 그 방법을 알려줄게."

"예? 900원 먹어서 뭘 해요?"

"이건 예시야! 쉽게 설명하려고 '0'을 5개 정도는 뺐어. 뭐 6개가 될 수도 있고, 무궁무진하니까. 여기 보고 잘 들어! 알았어?"

"예······"

"[큰 조직]에 지원사업 운영하라고 1,000원이 들어왔다. 이 1,000원은 [중간 조직]으로 가. [큰 조직]이 [중간 조직]에 1,000원짜리 지원사업 운영 외주 용역을 주는 거지. 근데 [중간 조직]은 실제로 800원 밖에 못써."

"왜요?"

"200원은 [브로커 1]을 줘야 해. 일종의 소개비 같은 건데······ 소개비로 대놓고 쓸 수는 없으니 명목은 적당한 걸로 바꿔서 주거나 뭐 외주를 주거나 뭐라도 만들어서 주는 거야. 그렇게 200원 떼이고 800원을 가진 [중간 조직]은 [작은 조직 A]에게 800원을 줘. 지원사업 운영 용역을 받은 중간 조직이 지원사업에 선정된 [작은 조직 A]에게 800원을 사업비를 쓰라고 주는 거지. 이건 알지? 우리도 이렇게 사업비 받았잖아."

"아, 예. 그렇죠."

"그래. 그런데 [작은 조직 A]는 600원 밖에 쓸 수 없어. 왜냐, 소개 대가로 [브로커 2]에게 100원을 주고 [지역기부]로 100원을 쓰거든. 돈도 얼마 되지도 않는데 이렇게 떼이는 것이 많다. 여긴."

"아...... 그렇군요. 그런데 [지역기부]는 또 뭐예요?"

"많이 짜증 나는...... 그런 게 있어, 이 바닥은. 지역에서 하는 사업에 선정되었으니까, 지역에서 활동하는 조직에 기부(?)를 해야 된다고 하네. 어이없는데, 그렇게 해야만 한데. 그렇게 해야만 앞으로 사업을 받을 수 있다는데 그렇게 해야지, 별 수 있나. 자, [작은 조직 A]는 지원사업의 [결과물]을 만들기 위해 [작은 조직 B]에게 가지고 있는 600원으로 의뢰를 하지. 여기가 포인트야. [작은 조직 B]는 100원짜리 [결과물]을 만들 수밖에 없어."

"예? 이상한데요. [작은 조직 A]에게 600원 받았잖아요!"

"야! 여기도 브로커가 있다. [브로커 3]에게 100원 떼이고...... 참 이 바닥 더럽지. 그리고 이제 중요한 것 나온다! 집중! 남은 500원은 일을 준 [작은 조직 A의 대표]가 300원 챙기고 [작은 조직 B의 대표]가 100원 챙기는 거야. 이러면 100원 남는 거지. 이걸로 [결과물]을 만들어 내는 거야. 어때 나의 기적의 계산법! 마법, 마술 같지?"

'이게 마법? 마법, 마술이 아니라 사기 같은데......'

"무슨 생각해? 왜 아무 말이 없어? 왜? 사기 같아?"

"아, 아닙니다. 너무 놀라워서요, 하하."

"이런 말도 있잖아! 실패하면 사기, 성공하면 사업 아 닙니까! 어차피 한 글자 차이야! 하하! 우리에게도 반드 시 봄이 올 거야! 왜냐? 내가 오게 만들 거니까! 왜? 재 미없어? 봄이 오지 않을 것 같아? 사기 치다가 어떻게 될까 걱정돼?"

"아니요, 아니요. 흥미진진합니다! 우리에게도 봄이 와 야지요!"

"그래, 우리에게도 봄이 와야지! 자, 다시 잘 봐라. 100원짜리 [결과물]과 1,000원짜리 [서류]는 같은 거야. 우리는 받은 1,000원 그대로 1,000원짜리 지원사업을 진 행한 거야. 그러니까 아무 문제가 없어. 언더스텐?"

"아...... 예...... 그런데 진짜 문제가 없을까요? 돈 준 곳 에서 검사라도 하면......"

"걱정할 것 하나도 없어! 걔들 검사 안 해! 절대로! 다~ 사진으로, 서류로만 해. 알잖아, 너도. 걔들 절대로 현장에 오지 않는 것. 알지?"

"그건 그렇죠. 걔들 현장에 온 적은 한 번도 없었죠."

"그래? 이제 솔깃해?"

"예. 해보고 싶습니다. 제가 뭐부터 어떻게 하면 될까
요?"

"이제 말이 통하네. 네가 사업자 하나 내서 [작은 조직
B]가 돼라. 안타깝지만 곧 인건비 지원 끊겨서 더 이상
너 고용 못한다. 너도 여기서 일 꽤 했으니 어떻게 돌아
가는지 알 것 아냐. 이참에 하나 차려. 분명 우리 둘 다
지금보다 훨씬 나을 거야. 네가 [작은 조직 B]가 되면
[브로커 3]에게 줄 돈도 사라지고. 너랑 나랑 더 먹는 거
지."

"와......! 이게 그렇게 되는군요!"

"그래! 대단하지! 그리고 내가 업력을 쌓아서 [중간
조직]이 되면, 네가 [작은 조직 A]가 되고! [브로커 2]
한테 줄 돈, [지역 기부] 돈도 사라지는 거야. 우리 둘이
더 해 먹는 거지. 지역에 기부를 왜 해. 아무것도 도와준
것도 하는 것도 없으면서. 그리고 나는 [큰 조직]까지 될
생각이야. [큰 조직] 만든 사람들 보니까 뭐 별 것 없더
구먼. 우리도 할 수 있어. 내가 [큰 조직] 되면 너는 [중
간 조직]하는 거지! 그러면 [브로커 1]한테 주는 큰돈도
사라지고 진짜 1,000원 싹 다 우리가 먹는 거야. 아, 100
원으로 결과물 만들어야 하니까 900원 먹는 건가, 하하

하하하! "

"와...... 진짜 좋은데요...... 그런데...... 큰돈 버는 건 좋은 데요...... 계속 듣다 보니까...... 좀 위험하다는 생각이 드는 데...... 괜찮을까요? 대표님?"

"위험하긴 뭐가 위험해? 아까 이야기했잖아. 우린 [서류]만 잘 준비하고 우리끼리 입만 딱 맞추면 걸릴 일 절대 없어. 너 여기서 일하면서 우리 회사가 어디 걸려 가지고 문제 생긴 적 있었냐?"

"아니요...... 한 번도 없었죠! "

"그래! 그리고 넌 몰랐지? 지금까지도 쭉 이렇게 해왔는데 넌 몰랐잖아. 너 모르게 한 것들도 꽤 있고! 다른 사람들도 다 그렇게 하고 있어. 그런데 아무도 안 걸렸어! 그러니까 진짜 아무 걱정하지 말고 넌 사업자 낼 준비하고 있어, 알았지? 우리도 따뜻한 봄 좀 같이 맞이 하자! 좋지? 난 회의 있어서 간다! 갔다 와서 다시 이야기하자고! 다른 사람들한테는 절대 이야기하지 말고. 알았지?"

"예! 알겠습니다! 다녀오십시오! "

'음...... 그런데 생각해 보니 좀 이상하네. 왜 나는 100

원만 먹는 거지? 200원, 200원씩 공평하게 먹으면 안
돼? 뭔 특별한 기술이 있는 것도 아닌데. 내가 입만 뻥긋
하면 다 같이 죽는 건데. 그리고 내가 있어야 이걸 할 수
있잖아. 우선 1개 성공시키고 딜을 해봐야지. 그래, 그게
좋겠어. 우선 하라는 대로 하고 시간이 좀 지나서 완벽히
한 배를 탔을 때 딜을 하는 거야. 나도 큰돈 좀 벌어야
지. 언제까지 이런 작은 사회적기업을 다닐 수 없잖아.
나도 따뜻한 봄을 맞이하고 싶다고!'

이상한 사회적기업 이상한 사회적경제 4

이상한 사회적기업 이상한 사회적경제 4

사회적경제조직 그냥 불러 개들은 늘 오니까

이상한 사회적기업 이상한 사회적경제 4

"야, 진짜...... 이런 역대급 폭염에 이런 xx 같은 행사
를...... 와...... 진짜 역대급이야."

"응? 무슨 일이야? 폭염주의 문자 또 왔던데. 너 밖이
야?"

"여기 행사장인데. 진짜 xx 같은 행사. 이렇게 더운데
이딴 xx 같은 행사를 야외에서 진행해? xx! 더운데 사람
이 올 거라고 생각했나! 진짜 xx 같은! 세금 낭비 진
짜...... 천막에, 현수막에, 전기에...... 진짜 기가 찬다, 기가
차! 완전 세금 도둑놈들이야, 진짜! 아...... 날도 더운데
진짜 저기 서서 고생하는 사람들, 진짜 너무 불쌍하다!
너무 불쌍해!"

"야! 그런 것 한 번 두 번 보는 것도 아니잖아. 뭐 그
렇게 열을 내냐. 너는 사회적경제, 사회적기업 이야기만
나오면 열을 내더라."

"아니, 화를 내지 않으려고 해도 내지 않을 수가 없어, 진짜! 아무리 그래도 그렇지. 이건 해도 해도 너무 하잖아. 진짜 이 더운 날씨에 사람들 불러놓고 뭐 하는 짓이야. 사람들 나오라고 했으면 행사가 잘 진행될 수 있도록 사전에 홍보도 좀 하고 해서 참여한 조직들 최소한 인건비라도 갖고 갈 수 있도록 해야지. 진짜, 이 무슨 xx 같은 행사야. 와, 진짜! 세금 낭비! 천막에 현수막에 테이블에 의자에 전기에…… 사은품으로 라면 같은 걸 막 주네! 와! 진짜!"

"야! 진정해, 진정. 그래도 이런 걸 해야 현수막 회사도 먹고살고, 천막 회사도 먹고살고 테이블, 의자 회사도 먹고살고, 행사 관계자들 실적도 올리고 하지! 안 그러냐? 너도 이런 일 했었잖아. 알면서 그러냐."

"……"

"그래? 안 그래?"

"뭐, 그런 부분도 있긴 하지. 그렇지만……"

"깊게 생각하지 마. 거의 대부분 다 그래. 겪어 봤으면서 또 그러냐. 그리고 너랑 상관없잖아. 이제 사회적경제 쪽에서 일도 하지 않으면서 뭐 그렇게 열을 내냐. 그만 열 내."

"음…… 그래, 그건 맞지. 잘렸으면서 무슨 미련이 남아서 내가 이렇게 열을 낼까. 네 말이 맞다. 그만 열 내야지. 미안하다, 열 내서. 이야기할 사람이 너밖에 없었어. 이제 지인 만나러 가야겠다. 또 통화하자!"

사회적경제조직에 종사하는 지인이 행사를 한다고 해서 갔다가 아주 오랜만에 마음속에서 뜨거운 무언가가 올라오는 경험을 했다.

역대급 폭염이라 그런지 나는 친구와 전화를 끊고도 뜨거운 열기가 가시지 않아 계속 욕을 했다.

'늘 xx 같아. 맨날 그대로야. 맨날 이따위 xx 같은 행사 하고 세금 갖다 버리고. 보고서 몇 줄 쓰고 신문 기사에는 행사 잘 끝났다고 xx 하겠지.'

'아! 이 xx 같은 짓은 언제쯤 사라질까. xx 같은 xx들. 그러니까 사회적경제가 망하지.'

'xx. 이따위로 할 거면 차라리 그냥 돈을 나눠줘라. xx들아. 이런 헛짓거리 좀 그만하고. 어우 xx들.'

'이런 세금 낭비 또 하겠지 계속하겠지. 아오, xx! 지들 주머니에서 나왔으면 이따위로 돈 쓸까? 아! 진짜! 그래도 나보다는 부스 참여자분들이 더 허탈하시고 화가

나시겠지. 아, 진짜! 세금 낭비, 진짜 제대로다! 진짜!'

화를 속으로 뿜어내며 걷다 보니 빨갛게 익은 지인이 보였다.

"왔어? 덥지? 이거 마셔. 얼음물이었는데 얼음이 다 사라졌네."

"응, 고마워. 많이 덥지...... 아이고, 얼굴이 벌겋네. 언제까지 해?"

"오늘 진짜 많이 덥다. 나 온몸이 다 벌게. 사람도 너무 없고 몸도 아프고. 집에 가고 싶은데...... 아까 관계자들이 와서 끝까지 자리 좀 지켜달라고 하더라. 중간에 몇 팀씩 빠지면 모양이 좀 그렇지 않냐고 하면서...... 힘들지만 나도 약속하고 온 거니까 끝까지 해야지. 아, 저기는 좀 시원해. 우리 저기 그늘로 가자."

"약속...... 그래, 저쪽으로 가자."

그늘로 가자마자 부스에 손님이 온 것 같다며 벌겋게 익은 얼굴로 부리나케 뛰어가는 지인을 보니 다시 욕이 절로 나왔다.

'진짜 xxx들. 누굴 놀리나. 이따위로 해놓고 행사 잘

끝났다고 xx 할 것들 생각하니, 진짜 xx 열받네. 늘 진짜
역대급 xxx들이야. 여기 있는 것들을 진짜, 진짜! xx!'

이상한 사회적기업 이상한 사회적경제 4

사회적기업에 돈이 사라지고 생긴
나의 기쁨

사회적기업이 되면 받을 수 있던 돈, 인건비와 사업개발비가 사라진 지 1년이 다 되어 간다.

"사회적기업이 돼도 인건비랑 사업개발비 이제 못 받아요? 아, 없어졌어요? 진짜요? 그럼 할 필요 없네!"

받을 수 있는 돈이 없어졌다는 사실이 점차 알려지면서 사회적기업을 하려는 사람들은 점점 줄어갔다.

사회적기업이 되면 받을 수 있던 돈, 그 돈을 이용하고자 하는 사람이 사회적기업을 만들 수 있게 돕는 사업을 했던 나는...... 결국 폐업을 했다.

그렇게 백수가 된 지 반년이 넘었다. 모아둔 돈도 바닥이 났다.

사업도 망하고 돈도 거의 다 떨어져서 슬프냐고?

물론 슬프기도 하지만 나는 기쁘다. 슬픔보다 기쁨이 더 크기에 나는 기쁘다.

어째서 기쁘냐고?

내가 아주 좋아하는 사회적경제, 사회적기업에 꼬였던 똥파리들이 계속 줄어들고 있기 때문이다. 똥파리들이 냄새에 민감하듯 이들도 그랬다.

사회적기업을 운영하던 사람들은 더 이상 돈을 받을 수 없게 되자 사회적기업을 반납하기도 하고 사회적기업을 운영하려던 사람들은 이곳에 이제 돈이 없다는 사실을 알고 사회적기업에 도전하지 않는다.

눈먼 돈만 기다리는 똥파리들, 눈먼 돈만 보고 몰려든 똥파리들...... 이 똥파리들이 줄어든다는 것은 사회적기업, 사회적경제가 깨끗해지고 있다는 것. 이것이 나를 기쁘게 한다.

그리고 돈이 주어지지 않음에도 사회적기업을 유지하려는 사람들, 돈이 주어지지 않는다는 것을 알면서도 사회적기업을 하려는 사람들을 발견했다.

인건비 지원이 끊겼음에도 직원을 자르지 않고 어떻게든 대출을 해서라도 일자리를 지켜주는 사람들, 세상에 사회적기업이 있어야 한다고 믿으며 꿈을 이루기 위해 돈이 주어지는 것과 상관없이 사회적기업을 준비하고 있는 사람들......

순수하게 사회적가치를 지향하고 추구하려는 사람들, 똥파리가 아닌 이런 사람들을 발견했기에 나는 기쁘다.

돈이 아닌 사회적가치를 목적으로 하는 이런 사람들에게는 금전적인 지원을 조금이라도 해주면 좋겠다는 생각도 했지만, 지인의 이야기를 듣고 나는 바로 이 생각을 접었다.

올해도 어김없이 사회적경제 성과공유회를 한다며 내년에 이쪽에 돈이 다시 풀릴지도 모른다는 이야기도 있으니 같이 가서 발 빠르게 정보도 얻고 매번 주는 선물도 받아오자는...... 행사를 호텔에서 하니까 한 끼 식사가 4만 원 5만 원 넘을 것이니 꼭 가서 먹자는 둥 돈이 풀린다는 소식은 늦게 들으면 손해니까 누구보다 먼저 가서 들어야 하니까 꼭 가자는......

사회적경제에서 오랜 시간 동안 활동하며 내가 아는 사람 중 가장 많은 혜택을 받은 지인의 이야기.

눈에 선했다.

자기들끼리 또! 자기들만 알고 있는, 자기들만 알아주는 성과를 축하하며 시시덕거리면서 비싼 밥을 먹고! 집에 갈 때는 또! 서로의 조직에서 산 선물을 손에 쥐고!

내년에는 아니 언젠가는 돈이 다시 주어질지도 모른다는, 사회적기업이니까 꼭 돈이 다시 주어질 것이라는 희망을 안고 돌아갈 것이다.

무슨 돈으로 이런 짓을 또, 해마다 어김없이 하는지 모르지만, 여기에 다시 돈이 주어지면 절대로 안 된다. 그렇게 되면 분명 똥파리들이 다시 늘어날 것이다.

똥파리들이 완전히 사라질 때까지 절대 돈을 주면 안 된다. 아니, 똥파리들이 완전히 사라져도 무조건 돈 말고 다른 무언가를 줘야 하는 것이 옳다.

그게 무엇인지는 나도 잘 모르지만, 어쨌든 분명하게 말하지만 돈은 아니다. 돈은 절대 아니다. 돈이 주어진다면 분명 똥파리들이 다시 사회적경제, 사회적기업으로 날아들어 악취를 풍기고 이곳을 병들게 할 것이다.

'돈이 다시 풀릴지도 모른다고……? 진짜?!'

"윙~"

마음속에 널리, 울려 퍼지는 똥파리의 우렁찬 날개 소리.

"탁!"

지인에게 가지 않겠다는 의사를 전하고 나니 '윙' 소리가 사라졌다.

사회적기업에 주어졌던, 주어지던 돈이 사라져서 힘들다는 사람들을 주변에서 많이 봤다.

쓸데없는데 돈을 쓰지 말고 사회적가치를 지키기 위해 애쓰는 사람들을 위해 돈을 쓰는 것은 어떨까.

사회적가치를 지키기 위해 애쓰는 사람들을 위해 돈을 모아서 전달하는 것은 어떨까.

어쨌든 나는 당분간은 계속 기쁘겠지만.

이상한 사회적기업 이상한 사회적경제 4

사회적기업 인증을 받았다고 해도
사회적가치지표 우수를 받았다고 해도

"사회적기업 운영 중이군요! 참 멋진 일 하시네요!"

"사회적가치지표 측정에서 우수를 받으셨군요! 정말 대단하세요!"

나는 이제 이런 말을 하지 않는다.

사회적기업을 운영하고 있다는 사람의 이야기를 들으면......

쓸모 없어진 근로자는 자르고 싶지만 사회적기업 실적에는 피해를 입고 싶지 않아 근로계약서를 다시 쓴 후 정규직을 계약직으로 만들어 회사에서 내보낸 사회적기업가.

돈 주고 서류를 만들어 정부 지원금을 타내고 그렇게 받은 돈으로 아는 사람을 통해 자신의 주머니 속으로 돈을 챙긴 사회적기업가.

지원금을 받기 위해 취약계층을 고용한 후 월급도 제대로 주지 않고 여기 아니면 갈 곳도 없으니 나가던가 아니면 이 돈이라도 받고 일하던가 협박을 일삼은 사회적기업가.

　이번 사회적기업은 실패니까 폐업하고 새로 법인사업자 하나 만들어서 받을 수 있는 지원금은 모조리 다 받아 가며 제대로 다시 시작할 것이라는 사회적기업가.

　이런 사람들이 떠오르고……

　사회적가치지표 측정에서 우수를 받았다는 사람의 이야기를 들으면……

　사회적가치를 추구하는 것처럼 보여야 점수를 잘 받을 수 있으니 소셜미션을 입맛대로 바꾼 후 액자와 현수막을 사무실 곳곳에 게시하고 근로자들에게 반드시 숙지하라던 사회적기업가.

　사회적경제조직 및 지역사회와 협력 성과는 협약 서류에 사인하고 사진만 찍으면 된다며 자신이 아는 대표들한테 미리 말해놓을 테니 인터넷에서 파일 다운로드하여 대충 내용 고쳐서 빨리 가져오라 했던 사회적기업가.

　참여적 의사결정을 한 기록과 혁신에 대한 노력도와

같은 것들은 지금까지 하지 않았어도 서류로 존재하기만 하면 된다는 이야기를 누군가한테 들었다며 얼른 서류부터 꾸미라던 사회적기업가.

사회적경제조직끼리 서로의 것을 사고팔아주면 매출과 영업 성과에서 높은 점수를 받을 수 있다는 것과 이것을 하는 방법을 사회적가치지표 우수를 받은 조직 대표자에게 직접 배웠다며 자신만만해했던 사회적기업가.

이런 사람들이 떠오르니......

긍정적인 말이 도저히 입 밖으로 나오지 않는다.

'분명 저 사람도 그럴 것.'

나는 의심병에 걸리고 말았다.

사회적기업, 사회적기업가, 사회적경제.

이 단어들을 보기만 해도 이 단어들을 듣기만 해도 이 단어들을 생각하기만 해도 가슴이 뛰며 나도 사회적기업을 하고 싶다, 나도 사회적기업가가 되고 싶다, 나도 사회적경제와 함께 하고 싶다는 생각이 들었었는데......

이젠 부정적인 생각만 가득하다.

언제부터였을까. 내가 의심병에 걸린 것이.

처음으로 간 사회적경제 관련 교육에서 출석을 제대로 하지 않았는데도 수료증을 받아 들고 사람들 앞에서 활짝 웃으며 기념 사진을 찍는 사회적기업가를 봤던 순간?

분명 사람도 별로 없고 망한 사회적기업 행사였는데 사람들의 반응도 정말 좋았고 상품도 잘 팔리는 등 아주 성공적인 행사였다는 신문 기사를 봤던 순간?

서류를 잘 써서 제출하는 것과 면접을 잘 보는 것과 상관없이 탈락할 사람과 합격할 사람은 이미 정해져 있었다는 것을 알게 되었던 순간?

조직이 지차제로부터 받은 사업 예산을 계획대로 쓰지 않고 심지어 대표자가 뒤로 돈까지 받고 있었다는 것을 알게 되었던 순간?

부정한 짓을 저질렀지만 어쩔 수 없는 일이고 좋은 게 좋은 것이니 넘어가자고 하며 다른 사람들도 다 이렇게 하는데 너만 별나게 구냐는 이야기를 들었던 순간?

도대체 언제부터였을까.

약이 있을까? 고칠 수 있을까?

아니, 나는 고치고 싶을까?

잘 모르겠다.

분명한 건 이제 다시는 예전으로 돌아갈 수 없다는 것
이다.

어느 순간부터 사회적기업과 사회적경제를 의심의 눈
초리로 보며 좋지 않은 면, 부정적인 면만 찾아내고 있는
나.

나는 지독한 의심병에 걸렸다.

누군가의 말 '결국 환상은 현실을 이기지 못한다.'처럼,
내가 꿈꾸는 '이상한 사회적기업 이상한 사회적경제'는
'이상한 사회적기업 이상한 사회적경제'를 이기지 못할
것이다......

그래도......

그래도 나는......

'이상한 사회적기업 이상한 사회적경제 4' 끝.

환상,
理想한 사회적기업
理想한 사회적경제

* 理想 : 이상 (가장 완전하다고 여겨지는 상태)